Compétences transférables Plus

Marthe Sansregret, Ph. D.
et Dyane Adam, Ph. D.

avec la collaboration du
Collectif des femmes francophones
du Nord-Est ontarien
et de
la Direction générale de la condition féminine
de l'Ontario

Données de catalogage avant publication (Canada)

Sansregret, Marthe
Compétences transférables plus

(La reconnaissance des acquis)
Comprend des références bibliographiques.
ISBN 2-89428-159-5

1. Aptitude professionnelle - Tests. 2. Aptitude - Tests. 3. Qualifications professionnelles - Attestation. 4. Recherche d'emploi. I. Titre. II. Collection.

HF5381.7.S26 1996 658.3'1125 C96-940522-7

Cet ouvrage a été réalisé grâce à la collaboration de la Direction générale de la condition féminine de l'Ontario et du Collectif des femmes francophones du Nord-Est ontarien.

Révision linguistique : Suzanne Teasdale
Composition : Hélène Laporte-Rawji enr.
Conception de la maquette et infographie : Mégatexte inc., Montréal
Illustrations intérieures : André Pijet
Illustration de la couverture : Guy Verville, Mégatexte.

Éditions Hurtubise HMH ltée
7360, boulevard Newman
LaSalle (Québec)
H8N 1X2
Canada

Téléphone : (514) 364-0323
Télécopieur : (514) 364-7435

ISBN 2-89428-159-5

Dépôt légal — 3e trimestre 1996
Bibliothèque nationale du Québec
Bibliothèque nationale du Canada

Imprimé au Canada

À propos de la publication

Cette publication a été conçue en collaboration avec le Collectif des femmes francophones du Nord-Est ontarien et la Direction générale de la condition féminine de l'Ontario, par le biais du programme Agents de changement de la Direction générale. Ce programme permet à des employeurs, syndicats, associations de femmes et groupes communautaires de développer des projets innovateurs en partenariat avec la Direction générale de la condition féminine. Ces projets visent à favoriser l'équité en matière d'économie, d'emploi, d'éducation et de formation pour les jeunes filles et les femmes.

Cette publication s'inscrit dans une démarche qui vise la reconnaissance des expériences et apprentissages acquis au cours de la vie. Cette publication peut très bien s'adresser aux hommes comme aux femmes, quelle que soit leur situation professionnelle, économique, scolaire ou géographique. Mais elle cherche avant tout à permettre aux femmes qui désirent réintégrer le marché du travail rémunéré, ou qui souhaitent retourner aux études, d'identifier ces compétences, acquises au courant de leur vie, qui peuvent être appliquées au monde du travail ou à celui de l'éducation.

Le Collectif des femmes francophones du Nord-Est ontarien

Le Collectif, qui existe depuis 1988, est membre du Réseau national Action-Éducation-Femmes. Ce groupe veut essentiellement promouvoir l'avancement par l'éducation sous toutes ses formes de la condition des femmes francophones en Ontario. Il met en place des mécanismes qui encouragent les femmes francophones à entreprendre et à poursuivre des études postsecondaires.

La Direction générale de la condition féminine de l'Ontario

La Direction générale de la condition féminine de l'Ontario est un important organisme d'intervention au sein du gouvernement de l'Ontario: elle relève de la ministre déléguée à la Condition féminine. La Direction générale examine et élabore des politiques, coordonne des programmes, consulte et informe le public, permettant ainsi au gouvernement ontarien de réaliser ses engagements relatifs à l'égalité des femmes sur les plans économique, juridique et social.

Remerciements

Nous tenons à exprimer nos plus sincères remerciements aux membres du comité d'encadrement pour leur apport inestimable en temps, énergie et engagement dans ce projet et pour leur compétence:

- Colette Arsenault
  Action-Éducation-Femmes, réseau national
- Margot Cardinal
  Collectif des femmes francophones du Nord-Est ontarien
  Action-Éducation-Femmes, Ontario
- Nicole Cholette
  Centre ÉTAPE
- Catherine Demers
  Direction générale de la condition féminine de l'Ontario
- Louise Gervais
  Collectif des femmes francophones du Nord-Est ontarien
- Rolande Savoie
  Action-Éducation-Femmes, réseau national, projet Alphabétisation

Nous tenons également à exprimer notre gratitude à tous ceux et celles qui ont contribué au succès de ce projet par leur participation à la validation des outils afférents. Nous voulons enfin souligner tout spécialement l'appui chaleureux que nous avons reçu du Collège Boréal de Sudbury et de ses étudiantes et étudiants.

TABLE DES MATIÈRES

Bonjour !

Le marché du travail nous fait vivre actuellement beaucoup d'émotions!

Pensez-y: un bon matin, vous pouvez vous rendre à votre travail, puis apprendre que malheureusement vous n'y retournerez pas le lendemain. Qu'est-il arrivé? Votre poste a été coupé.

Si vous êtes une femme ou un homme au foyer, une personne récemment diplômée, une immigrante ou un immigrant et que vous n'avez pas encore eu «la» chance d'obtenir un emploi rémunéré, il est bien possible que vous commenciez à perdre confiance.

Vous vous dites peut-être: «Pourtant, je suis capable de faire beaucoup de choses!» Par exemple, vous aimez converser avec les gens, vous lisez des journaux et des livres, et vous écrivez bien. Vous vous sentez à l'aise en compagnie d'autres personnes et l'informatique représente pour vous un intérêt certain. Les efforts physiques ne vous font pas peur et vous vous y connaissez en bricolage.

Vous êtes peut-être une personne aux multiples talents artistiques qui sait harmoniser les couleurs, apprécie de bons mets et écoute de la musique. Vous savez très bien gérer vos finances personnelles et parfois, vous aidez volontiers d'autres personnes à faire leur budget.

Lorsque vient le moment des réunions de famille ou des activités communautaires, vous êtes reconnue comme une personne qui peut bien planifier, coordonner et organiser l'événement. Quand un problème se présente, votre entourage fait souvent appel à votre imagination: c'est vous qui trouvez des solutions.

Peut-être avez-vous déjà démarré une petite entreprise ou que le moment de le faire est arrivé pour vous? En réfléchissant, vous constatez qu'effectivement vous possédez des compétences diverses, des caractéristiques personnelles qui feraient le bonheur de plus d'un employeur.

Vous possédez donc certaines compétences de base. Quel que soit le lieu ou encore le moment où vous avez développé ces compétences, elles ont ceci de particulier: **elles peuvent être transférées dans des emplois.**

Mais, les employeurs ne peuvent pas deviner tout ce que vous avez à offrir; les organismes qui prêtent de l'argent pour le démarrage des petites entreprises non plus.

Si vous êtes à la recherche d'un emploi, si vous croyez que le moment est venu de solliciter une promotion, ou encore si vous ne désirez que vous amuser à faire l'inventaire de vos compétences, ce livre peut vous être utile.

Il a comme premier but de vous aider à **nommer** et à **classifier** les compétences que vous croyez avoir développées à un moment ou à un autre de votre vie et qui peuvent être appliquées à d'autres situations, en particulier dans le monde du travail.

Vous y trouverez des questionnaires classés selon les huit catégories suivantes: la communication verbale et non verbale, la lecture et l'écriture; les relations interpersonnelles; l'informatique; les activités d'ordre physique et technique; l'expression artistique; la gestion financière; la planification et l'organisation; la résolution de problèmes.

Si vous décidiez de créer votre propre entreprise, la neuvième catégorie s'adresse particulièrement à vous: celle de l'*entrepreneurship*.

Que vous optiez pour offrir vos services en un emploi ou encore que vous décidiez de démarrer votre propre entreprise, il est important que vous passiez aussi en revue vos *caractéristiques personnelles*. Cette étape, intitulée *Plus*, fait l'objet de la dixième et dernière catégorie.

Vous trouverez à la page suivante, sous le titre **Démarche**, la façon la plus agréable d'utiliser ce document.

La démarche

Nous avons donc retenu neuf catégories qui vous permettront de classer vos compétences de base, et une dixième, *Plus*, qui vous permettra d'identifier vos caractéristiques personnelles. Vous pouvez commencer par remplir la grille qui correspond à la première catégorie (c'est la plus longue) ou encore démarrer avec n'importe laquelle autre. Quel que soit votre choix, il s'agira d'un travail simple qui s'effectuera toujours de la même manière.

Ainsi, pour chacune des catégories, vous aurez les mêmes tâches :

- ○ **Lire** une histoire dont le but est de vous faire oublier, dans l'humour, vos préoccupations temporairement, avant d'entrer dans le sujet, c'est-à-dire la catégorie comme telle.
- ○ **Lire** la définition qui explique la nature de la catégorie.
- ○ **Appliquer** une échelle qui correspond à différents niveaux de compétence :

  ***** = Excellent
  **** = Très bien
  *** = Bien
  ** = Peu
  * = Pas du tout

Grâce à cette échelle, vous pourrez évaluer votre propre niveau de compétence.

- ○ **Lire et cocher (✓)** les sous-catégories d'un questionnaire (à la mine de préférence, car votre évaluation, après réflexion, pourrait changer de niveau) qui se présente sous forme de grilles semblables à celle qui apparaît ci-contre.

▷ *À la découverte de ma compétence en communication verbale et non verbale*

À QUEL NIVEAU SUIS-JE CAPABLE...
De communiquer efficacement ?

	*****	****	***	**	*
▶ ***D'être à l'aise pour communiquer***					
○ dans un contexte familial	✓				
– avec mon conjoint ou ma conjointe	✓				
– avec mes enfants	✓				
– avec mes parents		✓			
○ dans un contexte social		✓			
– avec les voisins et les voisines		✓			
– avec les fournisseurs			✓		
– avec des personnes que je rencontre pour la première fois		✓			
– avec les autres employés et employées		✓			
▶ ***De choisir les mots justes***					
○ de désigner les objets par leur nom		✓			
○ de décrire des situations avec précision				✓	
○ d'utiliser le vocabulaire approprié					✓

Ce travail doit être effectué en toute objectivité. Par exemple, si d'après vous votre niveau de compétence se situe à «Excellent», cochez cette case; et s'il est moins qu'excellent, cochez la case suivante, etc. Autrement dit, ne vous dépréciez pas; ne vous contentez pas de vous situer dans le moyen terme «Bien» si vous croyez faire mieux! Par contre, si vous ne possédez pas de compétence dans une sous-catégorie, cochez franchement «Pas du tout».

Lorsque vous aurez complété les questionnaires correspondant aux dix catégories, vous pourrez faire la **révision** de l'ensemble de vos forces et de vos faiblesses. Pour ce faire vous aurez **à réviser et à cocher** les cases des tableaux situés à la fin du livre.

Vous aurez ainsi rapidement une vision de l'ensemble de vos compétences. Vous pourrez les mentionner dans une lettre, un formulaire de demande d'emploi, votre curriculum vitæ, votre «portfolio», ou encore les expliciter lors d'une entrevue de sélection.

Amusez-vous bien!

Catégorie 1

La communication verbale et non verbale, la lecture et l'écriture

Est-ce à cause de l'orage tout près d'éclater ce matin? Deux personnes, pourtant amoureuses l'une de l'autre, se plaignent du manque de communication qui existe entre elles. Leur malaise montre que l'expression des sentiments n'est pas toujours chose facile. Même quand on choisit de partager sa vie «pour le meilleur et pour le pire».

Il y a longtemps, avant le téléphone, on s'envoyait des billets pour exprimer les sentiments amoureux; ces billets étaient livrés en personne ou encore par les soins d'un messager ou d'une messagère, à pied ou à cheval. Le temps que cela prenait était si long que l'autre avait tout le loisir de donner libre cours à son imagination... Aujourd'hui, presque tout va vite et on manque de temps pour les joies de l'imagination: la poste apporte quantité de factures, mais peu de ces billets doux qui feraient fondre notre cœur...

Quant à l'écriture... bons et moins bons sentiments sont expédiés en code, à des vitesses électroniques. Espérons que le choix des mots est bon, qu'il y en a juste assez pour dire ce que nous voulons dire. Car c'est à la seconde ou à la minute qu'on nous facture ces messages, le plus souvent des messages d'affaires, parfois de bons sentiments.

Les cœurs aimants, tout comme le monde des affaires, se plaignent de plus en plus de la piètre qualité de la communication. Des enseignantes et des enseignants, qui en ont assez de se voir accuser d'en être les responsables, ont décidé d'agir: c'est aujourd'hui ou jamais. Ils proposent donc un concours. Le but de ce concours est de stimuler les jeunes et les adultes à relever les défis de la communication. Il y aura trois catégories: la communication verbale et non verbale, la lecture et l'écriture.

Le concours est lancé; on vous invite à trouver et à classifier vos compétences dans ces trois domaines de la communication. Laissez-vous aller à toutes les fantaisies que votre cœur voudra bien exprimer...

Définition

La compétence en communication verbale et non verbale, de même que la compétence en lecture et en écriture, consiste en un ensemble de connaissances, de manières de faire et d'être. Elle permet d'échanger, d'apprendre et de transmettre une information, une idée, un message, une opinion, une nouvelle, un renseignement, etc. Cela se fait au moyen de la parole, parfois des gestes, et aussi au moyen des lettres et des caractères, d'abord dans la langue maternelle et si possible dans d'autres langues.

▷ *À la découverte de ma compétence en communication verbale et non verbale*

À QUEL NIVEAU SUIS-JE CAPABLE...
De communiquer efficacement ?

	✻✻✻✻✻	✻✻✻✻	✻✻✻	✻✻	✻
▶ ***D'être à l'aise pour communiquer***					
○ dans un contexte familial					
– avec mon conjoint ou ma conjointe					
– avec mes enfants					
– avec mes parents					
○ dans un contexte social					
– avec les voisins et les voisines					
– avec les fournisseurs					
– avec des personnes que je rencontre pour la première fois					
– avec des personnes d'origines et d'appartenances diverses					
– avec mes employeurs et mes employeures					
– avec mes collègues					
– avec les autres employés et employées					
▶ ***De choisir les mots justes***					
○ de désigner les objets par leur nom					
○ de décrire des situations avec précision					
○ d'utiliser le vocabulaire approprié					
▶ ***De parler clairement***					
○ de prononcer distinctement					

✻✻✻✻✻ = Excellent ✻✻✻✻ = Très bien ✻✻✻ = Bien ✻✻ = Peu ✻ = Pas du tout

	✲✲✲✲✲	✲✲✲✲	✲✲✲	✲✲	✲
○ de contrôler ma voix et mes émotions			✓		
○ de converser au téléphone		✓			
▶ ***D'écouter et de me faire écouter***					
○ de regarder les autres dans les yeux					
○ de reformuler une question dans mes mots					
○ de rester dans le sujet de la conversation					
○ de susciter et de maintenir le dialogue					
▶ ***De me faire comprendre***					
○ d'utiliser des gestes					
○ d'exprimer mes besoins, mes désirs, mes opinions					
○ de reformuler dans mes mots les opinions et les idées exprimées par les autres					
▶ ***D'avoir des idées intéressantes***					
○ d'imaginer plusieurs aspects et possibilités					
○ de pressentir des solutions					
○ d'inspirer d'autres personnes					
▶ ***De donner de l'information dans divers domaines***					
○ d'expliquer ma vision des affaires et de l'économie					
○ de commenter une œuvre d'art					
○ d'analyser l'état actuel de l'éducation					

✲✲✲✲✲ = Excellent ✲✲✲✲ = Très bien ✲✲✲ = Bien ✲✲ = Peu ✲ = Pas du tout

	❋❋❋❋❋	❋❋❋❋	❋❋❋	❋❋	❋
○ de sensibiliser d'autres personnes à l'environnement					
○ d'interpréter des recommandations relatives à la bonne alimentation					
○ de décrire les particularités géographiques de différents endroits					
○ de commenter des événements historiques					
○ de donner mon opinion sur la mode					
○ de parler d'une œuvre musicale					
○ de commenter des événements politiques					
○ de discuter des aptitudes et des comportements					
○ d'interpréter le message d'une annonce publicitaire					
○ de discuter des croyances et des pratiques religieuses					
○ de suivre les progrès dans le domaine de la science ou de la santé					
○ de commenter les rapports entre différents peuples					
○ de commenter des événements sportifs					
○ de faire des récits de voyages					

❋❋❋❋❋ = Excellent ❋❋❋❋ = Très bien ❋❋❋ = Bien ❋❋ = Peu ❋ = Pas du tout

À QUEL NIVEAU SUIS-JE CAPABLE...
De communiquer en public?

	❋❋❋❋❋	❋❋❋❋	❋❋❋	❋❋	❋
▶ ***De participer à une réunion, à une table ronde, à une conférence***					
○ de surmonter le trac					
○ de donner mon point de vue					
○ d'écouter l'opinion des autres					
▶ ***D'animer un groupe***					
○ de choisir une technique d'animation					
○ d'écrire le résumé des interventions sur des grandes feuilles ou au tableau					
○ d'inciter les participantes et les participants à s'impliquer					
○ de faire respecter l'opinion des uns et des autres					
○ de concilier différents points de vue					
○ de maintenir l'intérêt du groupe					
▶ ***De faire une présentation***					
○ de faire un exposé					
○ de présenter et de commenter des acétates, des diapositives, des vidéos et de discuter de leur contenu					
○ de rendre un sujet plus intéressant en recourant à l'humour					
○ de maintenir l'intérêt du groupe					
○ de parler au microphone					
○ d'écrire des résumés sur des grandes feuilles ou au tableau					
○ de respecter l'horaire					
○ de clore la séance et de remercier les participants et les participantes					

❋❋❋❋❋ = Excellent ❋❋❋❋ = Très bien ❋❋❋ = Bien ❋❋ = Peu ❋ = Pas du tout

✲✲✲✲✲	✲✲✲✲	✲✲✲	✲✲	✲

▶ ***De répondre aux questions des médias** (presse écrite, radio, télévision)*
- ○ de surmonter le trac
- ○ de contrôler ma voix et ma respiration
- ○ de m'en tenir au sujet à traiter

▷ *À la découverte de ma compétence en lecture*

À QUEL NIVEAU SUIS-JE CAPABLE…
De lire efficacement?

✲✲✲✲✲	✲✲✲✲	✲✲✲	✲✲	✲

▶ ***De me concentrer sur ce qui est écrit***
- ○ d'approfondir ma réflexion sur le sujet du texte
- ○ de retenir l'essentiel de ce que je lis

✲✲✲✲✲ = Excellent ✲✲✲✲ = Très bien ✲✲✲ = Bien ✲✲ = Peu ✲ = Pas du tout

	❊❊❊❊❊	❊❊❊❊	❊❊❊	❊❊	❊
▶ ***De lire avec aisance et rapidité***					
○ de parcourir rapidement un texte et de persévérer jusqu'à la fin					
○ de me faire une idée générale du sujet traité					
○ de noter l'essentiel du message					
○ de classer l'information logiquement					
▶ ***D'utiliser des documents de référence***					
○ de repérer l'information dont j'ai besoin					
○ de m'y retrouver dans une grammaire					
○ de consulter des dictionnaires, des index, des lexiques					
○ de consulter des encyclopédies					
○ d'interpréter un tableau, des statistiques					

À QUEL NIVEAU SUIS-JE CAPABLE...
De lire différentes formes d'écrits et sur différents sujets

	❊❊❊❊❊	❊❊❊❊	❊❊❊	❊❊	❊
▶ ***De comprendre certains documents***					
○ de saisir le sens des questions d'un formulaire					
○ de vérifier des factures, des reçus, des bons de commande					

❊❊❊❊❊ = Excellent ❊❊❊❊ = Très bien ❊❊❊ = Bien ❊❊ = Peu ❊ = Pas du tout

	❊❊❊❊❊	❊❊❊❊	❊❊❊	❊❊	❊
▶ ***De comprendre la nature de différents textes***					
○ de déchiffrer des billets, des notes, etc.					
○ d'interpréter les annonces classées, la publicité écrite					
○ de suivre des modes d'emploi, des consignes, des recettes					
○ de retenir l'essentiel d'une nouvelle ou d'un fait					
○ de commenter et de retenir l'essentiel d'un texte					
○ de lire différents genres d'écrits (biographies, textes fictifs, récits, éditoriaux, rapports, etc.)					
▶ ***D'interpréter le contenu de différents types de lettres***					
○ les lettres personnelles					
○ les lettres de remerciements					
○ les lettres de félicitations, de sympathie					
○ les lettres de plainte					
○ les lettres de demande d'information					
○ les lettres de demande d'emploi et les offres de services					
○ les lettres de démission, de résiliation de contrat					
▶ ***De comprendre le sens d'un document d'ordre légal***					
○ d'interpréter une offre d'achat ou une offre de vente					

❊❊❊❊❊ = Excellent ❊❊❊❊ = Très bien ❊❊❊ = Bien ❊❊ = Peu ❊ = Pas du tout

	✲✲✲✲✲	✲✲✲✲	✲✲✲	✲✲	✲
○ de comprendre différentes règles de sécurité (incendies, vols, conduite, etc.)					
○ de respecter un ordre du jour					
○ d'interpréter un compte rendu					
○ d'interpréter un procès verbal					
○ de voir la différence entre les bulletins, les attestations, les certificats, les diplômes, etc.					
○ de saisir le sens des ordonnances de médicaments et d'un rapport médical					
○ d'interpréter une convention collective					
○ d'interpréter un jugement de cour					
○ d'interpréter les règles du Code civil, de la Charte des droits et libertés de la personne					
► ***D'approfondir le contenu de différents écrits***					
○ de choisir des auteurs sérieux					
○ d'analyser, de commenter, de comparer le travail de différents auteurs et auteures					
○ d'imaginer les personnages, les lieux et les circonstances d'un roman					
○ de critiquer objectivement un texte					
○ de suivre un récit historique, un récit de voyages, etc.					
○ d'interpréter un texte humoristique					
○ de commenter une biographie					

✲✲✲✲✲ = Excellent ✲✲✲✲ = Très bien ✲✲✲ = Bien ✲✲ = Peu ✲ = Pas du tout

▷ *À la découverte de ma compétence en écriture*

À QUEL NIVEAU SUIS-JE CAPABLE...
D'écrire efficacement?

	❊❊❊❊❊	❊❊❊❊	❊❊❊	❊❊	❊
▶ ***De réfléchir au sujet sur lequel je veux écrire***					
○ de résumer clairement ma pensée					
○ de prendre des notes					
▶ ***D'écrire avec aisance et rapidité***					
○ de trouver les mots justes					
○ d'agencer les mots					
○ de rendre mes idées dans des phrases claires					
▶ ***De rédiger un texte***					
○ de construire une phrase, un paragraphe, un texte					
○ d'appliquer les règles de grammaire					
– d'accorder les verbes, les adjectifs, les participes passés, les compléments, etc.					
– d'utiliser la ponctuation appropriée					
○ d'appliquer les règles de rédaction					
– de donner les références exactes					
– de rédiger une table des matières					
– de dresser une bibliographie					

❊❊❊❊❊ = Excellent ❊❊❊❊ = Très bien ❊❊❊ = Bien ❊❊ = Peu ❊ = Pas du tout

À QUEL NIVEAU SUIS-JE CAPABLE...
D'écrire dans différents styles ?

	✲✲✲✲✲	✲✲✲✲	✲✲✲	✲✲	✲
▶ ***De compléter certains documents***					
○ de remplir les renseignements demandés dans des formulaires					
○ de rédiger une facture, un reçu, un bon de commande					
▶ ***De rédiger des textes variés***					
○ d'écrire un billet, une note					
○ de composer le texte d'une annonce classée					
○ de rédiger des modes d'emploi, des consignes, des recettes					
○ de résumer objectivement une nouvelle ou un fait					
○ d'analyser un texte, puis de le résumer					
○ de raconter mes expériences de vie (autobiographie)					
○ de composer un texte de fiction					
▶ ***De rédiger différents types de lettres***					
- des lettres personnelles					
- des lettres de remerciements					
- des lettres de félicitations, de sympathie					
- des lettres de plainte					
- des lettres de demande d'information					

✲✲✲✲✲ = Excellent ✲✲✲✲ = Très bien ✲✲✲ = Bien ✲✲ = Peu ✲ = Pas du tout

	✲✲✲✲✲	✲✲✲✲	✲✲✲	✲✲	✲
– des lettres de demande d'emploi et des lettres d'offres de services	___	___	___	___	___
– des lettres de démission, de résiliation de contrat					
▶ ***De rédiger un document d'ordre légal***					
– une offre d'achat ou une offre de vente	___	___	___	___	___
– un ordre du jour	___	___	___	___	___
– un compte rendu	___	___	___	___	___
– un procès verbal					

✲✲✲✲✲ = Excellent ✲✲✲✲ = Très bien ✲✲✲ = Bien ✲✲ = Peu ✲ = Pas du tout

Catégorie 2

Les relations interpersonnelles

On raconte que la planète Terre serait en train de rapetisser! Les informations transmises par satellite nous rapprochent si vite les uns des autres que nous avons souvent du mal à évaluer les distances entre les pays. Et que dire de la vitesse avec laquelle on peut se rendre dans des lieux lointains, prendre un repas chez soi, et le suivant à des milliers de kilomètres...

Nous habitons vraiment un «village global», comme l'écrivait ce célèbre auteur canadien, Marshall McLuhan.

Imaginez la scène! Invités à visiter un lieu particulier de ce grand village, les gagnants et les gagnantes d'une loterie se rencontrent pour la première fois à l'aéroport. Ils vont bientôt s'embarquer pour un voyage de deux semaines.

Au départ, tous les voyageurs et voyageuses sont enthousiastes à l'idée de quitter leur travail pour une quinzaine, d'oublier les comptes, et même de laisser derrière certaines personnes si désagréables à côtoyer.

Mais après quelques heures l'atmosphère change dans l'avion. Ce n'est pas tant l'air ambiant qui en est la cause comme le comportement de quelques passagers grognons. Il s'agit bien entendu de ces personnes qui, où qu'elles soient, se mêlent toujours d'empoisonner la vie des autres. Leurs états d'âme sont bien plus importants que l'harmonie « entre les âmes »...

C'est ainsi que, mine de rien, les relations interpersonnelles se jouent entre les passagers bien disposés et ceux qui le sont moins. Tout cela sous les yeux attentifs du personnel de bord qui a, lui, une longue habitude des relations interpersonnelles !

Qu'est-il arrivé durant les deux semaines de vacances de nos voyageurs et de nos voyageuses ? Eh bien, ils ne sont pas encore revenus pour nous le raconter, mais rien ne nous empêche de le deviner...

Définition

La compétence en relations interpersonnelles consiste en un ensemble de connaissances, de manières de faire et d'être qui permettent de développer et de maintenir des relations satisfaisantes entre les personnes.

▷ *À la découverte de ma compétence en relations interpersonnelles*

À QUEL NIVEAU SUIS-JE CAPABLE...
De développer et de maintenir des relations interpersonnelles valables et efficaces?

	✽✽✽✽✽	✽✽✽✽	✽✽✽	✽✽	✽
▶ ***De créer un climat agréable et stimulant***					
○ de me comprendre et de m'accepter comme je suis					
○ d'être à l'aise avec les gens					
○ de considérer les autres comme des personnes importantes					
▶ ***De travailler en collaboration***					
○ d'exprimer mon point de vue clairement et d'écouter celui des autres					
○ d'utiliser des arguments convaincants					
○ d'apprécier à leur juste valeur les efforts et le mérite des autres					
○ de remercier avec sincérité					
▶ ***De prendre et de respecter des engagements***					
○ de clarifier la nature de mes engagements					
○ de remplir mes engagements au meilleur de mes capacités					
○ de tenir parole					

✽✽✽✽✽ = Excellent ✽✽✽✽ = Très bien ✽✽✽ = Bien ✽✽ = Peu ✽ = Pas du tout

	✿✿✿✿✿	✿✿✿✿	✿✿✿	✿✿	✿
► ***De réévaluer objectivement mes attitudes et mon comportement***					
○ d'analyser la situation avec sérénité		✓			
○ d'apporter les ajustements nécessaires		✓			

À QUEL NIVEAU SUIS-JE CAPABLE... De développer et de maintenir des relations interpersonnelles au travail, dans des activités sociales et communautaires?

	✿✿✿✿✿	✿✿✿✿	✿✿✿	✿✿	✿
► ***De travailler en équipe***					
○ de prendre part à des comités					

✿✿✿✿✿ = Excellent ✿✿✿✿ = Très bien ✿✿✿ = Bien ✿✿ = Peu ✿ = Pas du tout

	✻✻✻✻✻	✻✻✻✻	✻✻✻	✻✻	✻
○ de côtoyer des personnes de différentes appartenances (générations, cultures, conditions économiques, religions, ethnies, etc.)					
○ d'accepter les différences interpersonnelles					
○ d'apprendre à reconnaître des intérêts différents					
○ d'apporter du soutien aux membres de l'équipe					
○ d'essayer de comprendre une situation difficile					
○ de réconforter et d'appuyer les membres de l'équipe qui éprouvent de la difficulté					
○ de faire preuve de courtoisie					
► ***De travailler en partenariat*** *(mode de collaboration entre personnes, groupes et entreprises)*					
○ de collaborer à la définition et à l'établissement d'objectifs communs					
○ de définir et d'établir mes responsabilités					
○ d'interpréter une convention entre partenaires					
○ de partager mes connaissances et l'information que je possède					
○ de respecter la confidentialité					
○ de pouvoir travailler selon un horaire varié (le jour, le soir, toute la semaine, en temps partagé, etc.)					

✻✻✻✻✻ = Excellent ✻✻✻✻ = Très bien ✻✻✻ = Bien ✻✻ = Peu ✻ = Pas du tout

	✻✻✻✻✻	✻✻✻✻	✻✻✻	✻✻	✻
○ de travailler dans différents endroits (chez moi, à l'extérieur, à l'étranger, etc.)					

À QUEL NIVEAU SUIS-JE CAPABLE...
De développer et de maintenir des relations interpersonnelles où j'exerce mon leadership ?

	✻✻✻✻✻	✻✻✻✻	✻✻✻	✻✻	✻
▶ ***De prendre des initiatives***					
○ de définir et d'expliquer les responsabilités et les tâches					
○ de me centrer sur les objectifs et de m'y tenir					
▶ ***De créer un climat de collaboration***					
○ d'encourager l'autonomie et les initiatives					
○ de définir et d'expliquer clairement les responsabilités et les tâches des membres de l'équipe					
○ de stimuler et de motiver le groupe					
○ d'informer le groupe et d'en amener les membres vers un objectif commun					
○ de demeurer à l'écoute des opinions et des besoins des membres					
▶ ***De pressentir les conflits de pouvoir***					
○ d'adoucir les tensions					
○ de faciliter l'atteinte de compromis					

✻✻✻✻✻ = Excellent ✻✻✻✻ = Très bien ✻✻✻ = Bien ✻✻ = Peu ✻ = Pas du tout

	✻✻✻✻✻	✻✻✻✻	✻✻✻	✻✻	✻
○ d'agir selon ma conscience et de prendre des décisions réalistes					
▶ ***D'évaluer mon leadership***					
○ de réviser les résultats obtenus pour mieux atteindre les objectifs du groupe					
○ de déterminer les améliorations nécessaires					
○ de préparer la relève					
○ de me retirer au moment opportun					

Catégorie 3

L'informatique

Il est loin le temps où une machine à écrire manuelle représentait l'objet le plus moderne dans un bureau.

Cette compagne familière de tant de secrétaires, mais aussi de journalistes, d'étudiantes et d'étudiants qui tapaient d'un seul doigt, a été remplacée, durant les années cinquante, par la machine à écrire électrique. Quelle merveille de ne plus avoir à déplacer le chariot! Une simple pression du doigt... et, on passe à la ligne suivante.

Voilà que l'électronique, «magique» et fascinante, prend une place importante dans les bureaux mais aussi dans les foyers, au point de devenir parfois une passion.

L'arrivée de l'informatique a créé un grand nombre d'intérêts nouveaux. De plus, elle facilite et accélère diverses opérations. Ainsi, à l'épicerie, les responsables des caisses utilisent un lecteur optique pour totaliser les achats et pour les déduire automatiquement de l'inventaire. Tout de suite après, nous pouvons payer nos achats au moyen d'une carte encodée qui, elle, déduit automatiquement le montant de notre compte de banque...

Dans leur foyer, de plus en plus de parents travaillent à l'ordinateur. Bien souvent, les enfants le leur raviront le soir, mais pas nécessairement pour faire leurs devoirs...

Que faut-il donc avoir de si particulier pour posséder des compétences en informatique?

Définition

La compétence en informatique consiste en un ensemble de connaissances, de manières de faire et d'être. Elle permettra d'écrire, de calculer, de communiquer, de transposer, d'analyser, d'inventorier, de répertorier, de cataloguer, de saisir des données, des calculs, des textes, des tableaux, des grilles. Cela se fait grâce à un appareil appelé «ordinateur» (matériel), et au moyen de logiciels variés.

▷ *À la découverte de ma compétence en informatique*

À QUEL NIVEAU SUIS-JE CAPABLE...
D'utiliser efficacement la technologie de l'informatique dans mon travail ?

	✻✻✻✻✻	✻✻✻✻	✻✻✻	✻✻	✻
▶ ***De me sentir à l'aise***					
○ de déterminer les conditions qui facilitent le travail (éclairage, mobilier, pauses, etc.)					
○ de suivre un cours de base					
○ d'utiliser les manuels de référence					
▶ ***D'acquérir de la rapidité***					
○ d'utiliser une technique de doigté au clavier					
○ de repérer rapidement toute information dans les manuels					
○ d'apprendre les possibilités des logiciels					
▶ ***D'expliquer l'utilisation de diverses technologies courantes*** *(télécopieur, caisses enregistreuses, ordinateurs, imprimantes, modems, etc.)*					
○ de reconnaître différents systèmes informatiques et de pouvoir expliquer l'utilité de chacun					
○ de distinguer les variétés et les fonctions des logiciels					

✻✻✻✻✻ = Excellent ✻✻✻✻ = Très bien ✻✻✻ = Bien ✻✻ = Peu ✻ = Pas du tout

À QUEL NIVEAU SUIS-JE CAPABLE...
De maîtriser différentes applications de cette technologie ?

	✻✻✻✻✻	✻✻✻✻	✻✻✻	✻✻	✻
▶ ***D'utiliser un traitement de texte et l'imprimante***					
○ d'installer le logiciel					
○ de faire de la mise en pages, en choisissant les types de caractères appropriés					
○ de concevoir des tableaux					
○ d'enseigner le traitement de texte à d'autres					
○ de faire de l'édition de textes					
○ de prodiguer des conseils					
▶ ***De constituer des banques de données***					
○ de réunir des données					
○ de bâtir des fichiers					
○ de me tenir à jour					
○ d'enseigner la façon de réaliser et d'utiliser des banques de données					
○ de prodiguer des conseils					

✻✻✻✻✻ = Excellent ✻✻✻✻ = Très bien ✻✻✻ = Bien ✻✻ = Peu ✻ = Pas du tout

	✻✻✻✻✻	✻✻✻✻	✻✻✻	✻✻	✻
► ***De travailler en réseau ou sur l'inforoute***					
○ de m'ouvrir au monde					
○ de comprendre le fonctionnement, l'envergure et les implications de l'inforoute					
○ d'établir des contacts à partir de lieux respectifs avec des personnes intéressées à travailler sur les mêmes sujets					
○ de m'informer à propos des contraintes du réseau (mode de collaboration, agenda de travail, etc.)					
○ d'échanger, de sélectionner et de partager l'information					
○ d'accepter les différences d'approches, de points de vue, de cultures, etc.					
○ de prodiguer des conseils					
► ***De faire de l'analyse et de la programmation***					
○ d'étudier un sujet à programmer					
○ de remettre en question les buts de la programmation					
○ d'imaginer un concept de programmation					
○ de prévoir les étapes nécessaires au développement du concept					
○ de développer et d'améliorer des logiciels					
○ d'enseigner l'analyse et la programmation à d'autres					
○ de prodiguer des conseils					

Catégorie 4

Les activités d'ordre physique et technique

Il faut voir avec quelle dextérité, avec quelle délicatesse des personnes aux gestes habituellement maladroits manipulent des objets aussi précieux que leurs disques lasers et leur chaîne stéréophonique!

Cette délicatesse sera-t-elle toujours au rendez-vous lorsque ces mêmes personnes nous entraîneront sur un plancher de danse? Attention au rythme de la musique, et à nos pieds aussi...

Sinon, c'est sur des pieds endoloris qu'il faudra le lendemain exécuter d'autres prouesses: déplacer un meuble pour rejoindre une prise de courant, monter et descendre les escaliers, réparer la bicyclette qui grince, brasser la sauce pour qu'elle ne tourne pas, coudre sans se piquer les doigts un bouton au manteau du petit... Tout cela, bien entendu, en répondant selon les techniques d'écoute à l'appel de la direction d'école qui nous annonce «On n'a pas vu votre enfant en classe aujourd'hui».

Et, à bout de souffle nous constatons, oh malheur, que sans nos incontestables habiletés manuelles, une grave fuite d'eau pourrait bien faire atterrir la baignoire du deuxième étage sur le comptoir de la cuisine!

Que d'habiletés il nous faut démontrer dans cette vie! Accompagnant cette réflexion, un souvenir revient à notre mémoire: celui de cette main charitable qui avait su faire démarrer du premier coup la voiture qui, par une journée de grand froid, avait décidé de nous résister!

Allons vite à l'extérieur courir et prendre de bonnes respirations afin de maintenir notre forme physique. Car avec de telles journées...

Définition

La compétence d'ordre physique et technique consiste en un ensemble de connaissances, de manières de faire et d'être qui permettent d'effectuer des mouvements et des gestes et de déployer des habiletés manuelles dans différentes activités.

▷ *À la découverte de ma compétence d'ordre physique*

À QUEL NIVEAU SUIS-JE CAPABLE...
D'effectuer des mouvements et des gestes d'une manière efficace?

	✲✲✲✲✲	✲✲✲✲	✲✲✲	✲✲	✲
▶ ***De me maintenir en bonne forme physique***					
○ de bouger avec souplesse et agilité					
○ de pouvoir conserver longtemps la même position					
○ de descendre et de monter les escaliers sans m'essouffler					
○ de marcher durant de longues périodes					
○ d'avoir de bons réflexes					
▶ ***D'acquérir de l'endurance***					
○ de courir sans m'essouffler					
○ de me renforcer par l'exercice et la pratique des sports					
○ de fournir des efforts soutenus					
▶ ***De déployer de la force physique***					
○ de déplacer des objets lourds					
○ de soulever des poids et des masses					
○ de tirer et de pousser des objets					

✲✲✲✲✲ = Excellent ✲✲✲✲ = Très bien ✲✲✲ = Bien ✲✲ = Peu ✲ = Pas du tout

À QUEL NIVEAU SUIS-JE CAPABLE... D'effectuer des mouvements et des gestes dans différentes activités?

	*****	****	***	**	*
▶ ***De me maintenir en équilibre***					
○ de monter sur un escabeau, sur une échelle, sur un toit					
○ de sauter longtemps sans tomber					
▶ ***De fournir un effort rythmé***					
○ de marcher rapidement					
○ de courir sur de longues distances					
○ de sauter par-dessus des obstacles					
○ de pédaler à bicyclette sur de longues distances					
○ de me déplacer à la nage					

***** = Excellent ..... **** = Très bien ..... *** = Bien ..... ** = Peu ..... * = Pas du tout

▷ *À la découverte de ma compétence d'ordre technique*

À QUEL NIVEAU SUIS-JE CAPABLE...
De démontrer efficacement mes habiletés manuelles?

	❊❊❊❊❊	❊❊❊❊	❊❊❊	❊❊	❊
► ***De déployer des habiletés manuelles de base***					
○ de nouer, d'attacher, de tresser des cordes, des fils, etc.	___	___	___	___	___
○ de manipuler des petits objets avec dextérité	___	___	___	___	___
○ de faire fonctionner des appareils associés à l'électricité, à la plomberie, et à la mécanique selon les normes de sécurité					
► ***De déployer des habiletés manuelles en cuisine***					
○ de hacher et de couper des aliments	___	___	___	___	___
○ de brasser des liquides et des solides	___	___	___	___	___
○ de pétrir et d'abaisser la pâte	___	___	___	___	___
○ de dépecer et de couper de la viande	___	___	___	___	___
○ de lier une sauce					
► ***De déployer différentes habiletés manuelles***					
○ de toucher, de palper, de tourner, d'aplanir des matériaux divers	___	___	___	___	___
○ de tailler, de couper, d'aiguiser des objets de différentes textures	___	___	___	___	___
○ de différencier les textures, les surfaces, les formes, les longueurs, les épaisseurs	___	___	___	___	___

❊❊❊❊❊ = Excellent ❊❊❊❊ = Très bien ❊❊❊ = Bien ❊❊ = Peu ❊ = Pas du tout

	✲✲✲✲✲	✲✲✲✲	✲✲✲	✲✲	✲
○ d'envoyer des messages ou des directives simplement avec les doigts ou les mains					

À QUEL NIVEAU SUIS-JE CAPABLE... De démontrer mes habiletés manuelles dans le cadre de différentes activités ?

	✲✲✲✲✲	✲✲✲✲	✲✲✲	✲✲	✲
▶ ***D'utiliser différents instruments et matériaux reliés à la confection d'objets et de vêtements***					
○ de faire fonctionner une machine à coudre					
○ de manier des aiguilles à tricoter, un crochet					
○ de me servir de cerceaux, de canevas					
○ de monter un métier à tisser, de tisser					
▶ ***D'utiliser différents éléments et outils de jardinage***					
○ de semer et de cultiver un potager					
○ de planter et de cultiver des plantes d'extérieur, des arbustes et des arbres					
○ d'entretenir un terrain					
○ de bricoler à l'intérieur et à l'extérieur					
○ d'assembler un meuble					
○ de peinturer des surfaces planes ou découpées					
○ de poser du papier peint					

✲✲✲✲✲ = Excellent ✲✲✲✲ = Très bien ✲✲✲ = Bien ✲✲ = Peu ✲ = Pas du tout

	✻✻✻✻✻	✻✻✻✻	✻✻✻	✻✻	✻
○ de décaper des meubles, d'en faire la finition					
○ d'effectuer différentes opérations : découper, tailler, clouer, cogner, sabler, polir, vernir, fraiser, etc.					
○ de réparer des objets, des meubles					
► ***De travailler différents matériaux***					
○ de sculpter le bois					
○ d'ouvrer le métal					
○ de graver la pierre					
► ***D'installer et de faire fonctionner différents appareils électriques et électroniques***					
○ de relier les éléments d'une chaîne stéréophonique, d'un magnétoscope, d'un télécopieur, selon les directives du fabricant, etc.					
○ de relier les éléments d'un ordinateur, d'une imprimante, d'un modem					
○ d'installer une antenne					
► ***D'assembler différents éléments***					
○ de monter une tente, du matériel de camping, etc.					
○ de préparer et de surveiller un feu de foyer, un feu de camp. etc.					
○ de monter une clôture, une remise, etc.					
○ de construire un bâtiment d'après les normes					

✻✻✻✻✻ = Excellent ✻✻✻✻ = Très bien ✻✻✻ = Bien ✻✻ = Peu ✻ = Pas du tout

	❊❊❊❊❊	❊❊❊❊	❊❊❊	❊❊	❊
▶ ***De conduire différents véhicules en respectant le code de la route et les lois de la sécurité***					
○ de bien aller à bicyclette	____	____	____	____	____
○ de bien conduire une voiture	____	____	____	____	____
○ de bien conduire une motoneige	____	____	____	____	____
○ de bien conduire un camion					

❊❊❊❊❊ = Excellent ❊❊❊❊ = Très bien ❊❊❊ = Bien ❊❊ = Peu ❊ = Pas du tout

Catégorie 5

L'expression artistique

Dans une grande entreprise, la majorité du personnel appartient à des origines ethniques différentes. On s'y prépare à fêter le cinquantième anniversaire de sa fondation. Lors de cet événement, on remerciera le personnel d'une manière assez originale.

D'après un sondage récent, seulement 7 % des employés savent qui est qui et qui fait quoi dans l'entreprise. On a décidé qu'il y aura toute une semaine de fêtes. Durant ces quelques jours, chaque personne qui le désire se fera connaître et fera connaître la nature de son travail, de même que le service auquel elle appartient. Tout cela grâce au talent artistique qui lui est particulier.

Au babillard, s'affiche un genre inhabituel d'appel d'offres: «Les conjointes et les conjoints qui ne travaillent pas dans notre entreprise sont également invités à démontrer leurs talents artistiques» et «Un budget sera alloué à chacun et à chacune des participants selon le domaine d'activité choisi, pour défrayer les coûts du matériel et de la location d'équipement.»

Un comité de coordination voit à l'organisation des fêtes qui se tiendront dans six mois. Comme peu de personnes se connaissent, de nombreux talents cachés qui ne demandent qu'à se laisser découvrir surprennent les membres de l'organisation: gêne et timidité oubliées, 93 % du personnel a répondu à l'appel, sans compter un grand nombre de conjointes et de conjoints...!

Mais attention! Qui a dit: Des goûts et des couleurs, on ne discute pas?

Définition

La compétence d'ordre artistique consiste en un ensemble de connaissances, de manières de faire et d'être qui permettent de s'exprimer, d'innover, de créer, d'inspirer les autres, de les réjouir, d'embellir, de se détendre, de sensibiliser les autres au moyen de saveurs, de bruits et de sons, d'odeurs, de couleurs et de formes, du toucher et de la dextérité.

▷ *À la découverte de ma compétence d'ordre artistique*

À QUEL NIVEAU SUIS-JE CAPABLE...
D'utiliser mes talents artistiques avec efficacité ?

	❋❋❋❋❋	❋❋❋❋	❋❋❋	❋❋	❋
► ***D'être à l'aise en faisant montre de créativité***					
○ de rêver, de laisser aller mon imagination	___	___	___	___	___
○ de me permettre des erreurs	___	___	___	___	___
○ de vivre le doute, l'incertitude	___	___	___	___	___
► ***D'utiliser mes cinq sens***					
○ de goûter différents aliments et d'en apprécier la saveur	___	___	___	___	___
○ d'entendre et de différencier des bruits et des sons et d'en trouver la provenance	___	___	___	___	___
○ de sentir les nuances entre différentes odeurs	___	___	___	___	___
○ de voir et de distinguer les différences et l'harmonie entre les couleurs	___	___	___	___	___
○ de toucher et de distinguer différentes textures et formes	___	___	___	___	___

À QUEL NIVEAU SUIS-JE CAPABLE...
D'utiliser mes talents artistiques dans différentes activités impliquant ...

	❋❋❋❋❋	❋❋❋❋	❋❋❋	❋❋	❋
► ***l'usage du goût***					
○ de déguster des mets différents	___	___	___	___	___

❋❋❋❋❋ = Excellent ❋❋❋❋ = Très bien ❋❋❋ = Bien ❋❋ = Peu ❋ = Pas du tout

- ○ de choisir des aliments pour leur saveur et leur fraîcheur
- ○ de doser les assaisonnements
- ○ d'apprêter des mets exotiques
- ○ de déguster et de choisir les vins d'après leurs propriétés, leur âge, les aliments qu'ils accompagnent

► ***l'usage de l'ouïe***

- ○ de distinguer différents bruits et sons et d'en trouver la provenance
- ○ de jouer d'un instrument de musique
- ○ d'utiliser le langage de la musique pour m'exprimer
- ○ de composer une pièce musicale
- ○ de lire une partition musicale tout en jouant d'un instrument

► ***l'usage de l'odorat***

- ○ de percevoir différents arômes et odeurs
- ○ de créer une atmosphère grâce à des odeurs de cuisson, à des fleurs, à des essences (pots-pourris), à de l'encens, etc.

► ***l'usage de la vue***

- ○ de différencier les couleurs et leurs intensités, de les agencer
- ○ d'apprécier la nature des formes (longues et courtes, rondes et plates, carrées et rectangulaires, oblongues, etc.)

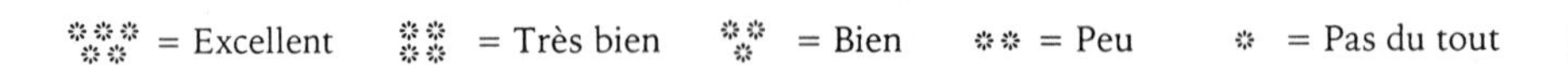

	❋❋❋❋❋	❋❋❋❋	❋❋❋	❋❋	❋
○ d'imaginer un thème de décoration et d'aménager des intérieurs confortables et esthétiques (mobiliers, accessoires, etc.)					
○ de faire des aménagement extérieurs (matériaux, fleurs, arbustes, etc.)					
○ de créer des jeux d'ombre et de lumière					
○ de photographier des scènes sous des angles originaux					
○ de faire des esquisses, de dessiner des personnages, des paysages, des natures mortes, etc. selon des techniques variées (pastel, aquarelle, etc.)					
○ de faire la critique de photos, de dessins, de tableaux, etc.					
► ***l'usage du toucher, du mouvement et de la dextérité***					
○ de différencier les textures (douces et rugueuses, molles et rigides, etc.)					
○ de différencier les propriétés de diverses matières (bois, métal, pierre, etc.)					
○ de danser sur de la musique avec grâce et souplesse					
○ de faire du théâtre					

❋❋❋❋❋ = Excellent ❋❋❋❋ = Très bien ❋❋❋ = Bien ❋❋ = Peu ❋ = Pas du tout

Catégorie 6

La gestion financière

On veut du-beau-du-bon-et-du-pas-cher-acheté-au-plus-tôt-mais-payé-plus-tard-avec-si-possible-le-bonheur-en-prime !

En ces temps difficiles, où les emplois sont de plus en plus précaires, il faut bien économiser. Mais la vie passe tellement vite, on doit en profiter !

Ces réflexions contradictoires, plusieurs personnes se les font de nos jours. Elles hésitent entre la nécessité d'économiser et de planifier à long terme, et celle de se procurer tout de suite différents biens et services qui leur rendraient la vie plus agréable.

Et c'est ainsi qu'on se lève un matin et qu'on décide qu'il ferait bon vivre dans une petite maison avec un bout de terrain, dans un quartier tranquille, mais quand même près d'une école. Pourquoi pas un petit potager pour cultiver des légumes...

Ce rêve tout à fait légitime grandit de jour en jour. Surtout que depuis quelque temps il y a un grand nombre de propriétés à vendre, les unes plus intéressantes que les autres, toutes prêtes à entretenir notre rêve. Ce rêve-là, il nous donne des insomnies, tellement nous avons hâte de le concrétiser...

Avant de réaliser ce rêve, passons en revue nos principales forces en gestion financière. Qui sait, peut-être nous découvrirons-nous des compétences cachées? Et s'il n'était plus très loin le temps où nous pourrons croquer dans nos beaux légumes...

Définition

La compétence en gestion financière consiste en un ensemble de connaissances, de manières de faire et d'être qui permettent d'établir une base sur laquelle s'appuyer pour contrôler les dépenses et les revenus durant une période donnée.

▷ *À la découverte de ma compétence en gestion financière*

À QUEL NIVEAU SUIS-JE CAPABLE...
De gérer de l'argent efficacement?

	✲✲✲✲✲	✲✲✲✲	✲✲✲	✲✲	✲
▶ ***D'être à l'aise dans le domaine des finances***					
○ de penser logiquement	___	___	___	___	___
○ d'additionner, de soustraire	___	___	___	___	___
○ de multiplier, de diviser	___	___	___	___	___
○ de calculer des intérêts simples ou composés					
▶ ***D'effectuer des opérations courantes***					
○ de faire des dépôts et des retraits bancaires	___	___	___	___	___
○ de remplir des chèques, des bordereaux, des traites, etc.	___	___	___	___	___
○ de rembourser paiements et intérêts					
▶ ***D'effectuer différentes transactions***					
○ de contracter une assurance	___	___	___	___	___
- de déterminer la nature d'une police d'assurance (vie, invalidité, feu et vol, automobile, voyage, responsabilité, tous risques, etc.)	___	___	___	___	___
- de vérifier le taux d'une prime d'assurance, les clauses, l'amortissement	___	___	___	___	___
○ de contracter une hypothèque et un emprunt bancaire	___	___	___	___	___

✲✲✲✲✲ = Excellent ✲✲✲✲ = Très bien ✲✲✲ = Bien ✲✲ = Peu ✲ = Pas du tout

	✻✻✻✻✻	✻✻✻✻	✻✻✻	✻✻	✻
- de faire l'inventaire des banques et des sociétés prêteuses et de les questionner					
- de vérifier les taux concurrentiels et les éventuels privilèges (âge, dossier favorable, etc.)					
- de négocier au meilleur taux et de m'assurer des termes de la garantie					
- de fournir des garanties (certificats, actions, obligations, etc.)					
▶ ***De négocier des actions et des obligations***					
○ d'interpréter des données économiques					
○ d'utiliser le vocabulaire courant (devises, actions, obligations, options transigées, indices, solde, cotes, etc.)					
○ de suivre le marché boursier, ses indices et ses tendances					
○ d'analyser un graphique et d'en interpréter les courbes					

✻✻✻✻✻ = Excellent ✻✻✻✻ = Très bien ✻✻✻ = Bien ✻✻ = Peu ✻ = Pas du tout

À QUEL NIVEAU SUIS-JE CAPABLE...
De gérer des revenus et des dépenses et d'effectuer une planification financière?

	✻✻✻✻✻	✻✻✻✻	✻✻✻	✻✻	✻
► *D'établir l'état de mes revenus et dépenses ainsi que celui de ma famille* **revenus**					
○ de calculer mes revenus de salaire (temps plein ou partiel, pige, etc.) ainsi que ceux de chaque membre de ma famille qui contribue au budget familial					
○ de calculer d'autres revenus (commissions, assurance-chômage, bonis, primes, pensions, etc.)					

✻✻✻✻✻ = Excellent ✻✻✻✻ = Très bien ✻✻✻ = Bien ✻✻ = Peu ✻ = Pas du tout

	❊❊❊❊❊	❊❊❊❊	❊❊❊	❊❊	❊
○ de calculer des revenus d'allocation pour enfants à charge					
○ de calculer des revenus de sources diverses (loyers, intérêts, dividendes, etc.)					
○ de calculer les revenus tirés de la production de biens et de services (plats cuisinés, couture, tricot, tissage, artisanat, bricolage, gardiennage, jardinage, entretien ménager, etc.)					
○ d'anticiper de nouveaux revenus					
dépenses					
○ de calculer les dépenses de base (nourriture, logement, électricité, chauffage, téléphone, assurances, taxes, impôts, etc.)					
○ de calculer d'autres dépenses (vêtements, meubles, frais médicaux et dentaires, transport, service de garde, entretien, aide, ménage, réparations, etc.)					
○ de calculer les allocations à verser pour les enfants à charge					
○ de calculer les dépenses relatives à des emprunts (hypothèques, marges de crédit, etc.)					
○ de calculer des dépenses diverses (loisirs, vacances, cadeaux, maladie prolongée, etc.)					
○ de tenir compte des dépenses imprévues					

❊❊❊❊❊ = Excellent ❊❊❊❊ = Très bien ❊❊❊ = Bien ❊❊ = Peu ❊ = Pas du tout

	❋❋❋❋❋	❋❋❋❋	❋❋❋	❋❋	❋
▶ ***De faire ma planification financière personnelle ainsi que celle de ma famille***					
○ d'aller chercher de l'information (comptable, fiscaliste, banque, groupe-conseil, société prêteuse, etc.)					
– de m'informer quant aux prêts					
○ de faire un budget					
– d'établir et de justifier des priorités					
– d'anticiper les revenus nécessaires					
– de cibler les dépenses inutiles					
– de couper les dépenses aux endroits appropriés					
– de prévoir des besoins additionnels d'argent					
○ de solliciter un emprunt					
– d'expliquer et de justifier mon budget par des exemples et des statistiques					
– d'évaluer différents modes d'emprunt (marges de crédit, garanties, etc.)					
○ de faire la tenue des livres ainsi que celle de ma famille					
▶ ***D'établir les revenus et les dépenses d'une petite entreprise***					
revenus					
○ de calculer les revenus tirés de services professionnels et de ventes de produits					

❋❋❋❋❋ = Excellent ❋❋❋❋ = Très bien ❋❋❋ = Bien ❋❋ = Peu ❋ = Pas du tout

	✻✻✻✻✻	✻✻✻✻	✻✻✻	✻✻	✻
○ de calculer d'autres revenus (subventions, allocations, emprunts, etc.)					
○ de calculer des revenus de sources diverses (intérêts sur prêts, dividendes, crédits)					
dépenses					
○ de calculer les dépenses de base (achat ou location de local, taxes et permis, impôts, équipement, électricité, chauffage, téléphone d'affaires, assurances, papeterie, incorporation, etc.)					
○ de calculer les dépenses en honoraires professionnels, salaires, avantages sociaux de l'entrepreneur ou de l'entrepreneure et des associés et associées, etc.					
○ de calculer d'autres dépenses (publicité et marketing, frais de représentation, transport et voyages, colloques, entretien, etc.)					
○ de prévoir et de calculer des dépenses diverses (améliorations du local, de l'équipement, vacances, etc.)					
○ de tenir compte des imprévus					
► ***De faire la planification financière d'une petite entreprise***					
○ d'aller chercher de l'information (comptable, fiscaliste, banque, groupe-conseil, société prêteuse, etc.)					
- de m'informer quant aux prêts					

✻✻✻✻✻ = Excellent ✻✻✻✻ = Très bien ✻✻✻ = Bien ✻✻ = Peu ✻ = Pas du tout

	✻✻✻✻✻	✻✻✻✻	✻✻✻	✻✻	✻
○ de faire un budget					
– d'établir et de justifier des priorités					
– d'anticiper les revenus nécessaires					
– de cibler les dépenses inutiles					
– de couper les dépenses aux endroits appropriés					
– de prévoir des besoins additionnels d'argent					
○ de solliciter un emprunt					
– d'expliquer et de justifier ce budget par des exemples et des statistiques					
– d'évaluer différents modes d'emprunt (marges de crédit, garanties, etc.)					
○ de faire la tenue des livres					
– d'une personne salariée					
– d'un travailleur ou d'une travailleuse autonome, d'une entreprise enregistrée					
– d'une société à but non lucratif					
– d'une entreprise incorporée					
○ de monter un état des revenus et des dépenses					
– de vérifier les livres et les comptes					
– de concilier les livrets de banque					
– de préparer les livres pour la vérification comptable					

✻✻✻✻✻ = Excellent ✻✻✻✻ = Très bien ✻✻✻ = Bien ✻✻ = Peu ✻ = Pas du tout

Catégorie 7

La planification et l'organisation

Une mère de quatre enfants, seule responsable de sa petite famille, se prépare à vivre une première expérience de camping sur les conseils de personnes supposément expérimentées lui ayant vanté les mérites de la vie en pleine nature.

Elle souhaite éviter les frais et les déceptions qui pourraient découler de son inexpérience. Elle accepte donc d'emprunter le matériel jugé indispensable à une aventure en terrain sauvage. Il ne reste qu'à y ajouter de la nourriture, de l'eau potable et quelques effets personnels.

Les enfants sont enthousiastes à l'idée de passer deux semaines de vacances remplies d'imprévus. Les préparatifs vont bon train, jusqu'au moment où cette mère prévoyante de nature décide de dresser la liste de tous les éléments dont elle croit avoir besoin, puis de vérifier le matériel d'emprunt...

C'est alors qu'elle découvre que la toile de la tente est perforée, à un endroit stratégique qui permettrait à la pluie d'entrer tout doucement...

Quant à la table pliante qui devrait les aider à mettre la nourriture à l'abri des visiteurs à quatre pattes, rien ne peut la maintenir en équilibre... Il y a bien un gros fanal pour éclairer les soirées en attendant le feu de camp, mais il s'agit d'un simple objet décoratif. Et ça continue ainsi...

Devant tant de problèmes dans son organisation, elle décide de déléguer des tâches à chaque enfant. Ils l'aideront non seulement à inspecter le matériel, mais aussi à planifier toute l'aventure de A à Z. Il faut que cette nouvelle expérience soit mémorable, mais pour les bonnes raisons.

Définition

La compétence en planification et en organisation consiste en un ensemble de connaissances, de manières de faire et d'être qui permettent de prévoir et de réunir les éléments nécessaires à l'exécution satisfaisante d'un projet.

▷ *À la découverte de ma compétence en planification et en organisation*

À QUEL NIVEAU SUIS-JE CAPABLE...
De planifier et d'organiser d'une manière efficace ?

	✲✲✲✲✲	✲✲✲✲	✲✲✲	✲✲	✲
► ***D'analyser une situation***					
○ de déterminer puis d'évaluer des besoins (ce qu'il y a à faire)					
○ de tenir compte de besoins futurs					
○ d'ordonner par priorités les tâches à accomplir					
► ***De dresser un plan d'action***					
○ de faire preuve de créativité					
○ de fixer un but et des objectifs (visualisation des résultats)					
○ d'imaginer les étapes nécessaires pour atteindre le but et les objectifs fixés					
○ de déterminer les activités et les tâches à accomplir					
○ de déterminer des besoins en ressources humaines, ressources diverses et matérielles (argent, matériel, etc.)					
○ de faire un calendrier de travail					
► ***De mettre en œuvre un plan d'action***					
○ de prendre des initiatives					

✲✲✲✲✲ = Excellent ✲✲✲✲ = Très bien ✲✲✲ = Bien ✲✲ = Peu ✲ = Pas du tout

	✲✲✲✲✲	✲✲✲✲	✲✲✲	✲✲	✲
○ de déterminer et de rassembler les ressources humaines et matérielles nécessaires					
○ de respecter des échéanciers					
○ de réévaluer le plan d'action de temps à autre					
○ d'y apporter des modifications quand c'est nécessaire					

À QUEL NIVEAU SUIS-JE CAPABLE...
De planifier et d'organiser différentes activités ?

	✲✲✲✲✲	✲✲✲✲	✲✲✲	✲✲	✲
► ***De planifier et d'organiser ma vie personnelle et celle de ma famille***					
○ de dresser un plan d'action quotidien, mensuel, annuel					
○ de faire l'inventaire et l'analyse des besoins de chacune et de chacun					
○ de déterminer et de répartir les tâches et les responsabilités (parents, conjoints, enfants, etc.)					
○ de concilier plusieurs responsabilités (éducation, repas, soins, transport, travail, bénévolat, etc.)					
○ de déterminer un lieu et un espace de vie (ville, campagne ; appartement, maison, etc.)					
○ de bâtir et de respecter un budget (voir la gestion financière)					

✲✲✲✲✲ = Excellent ✲✲✲✲ = Très bien ✲✲✲ = Bien ✲✲ = Peu ✲ = Pas du tout

Tâche	✲✲✲✲✲	✲✲✲✲	✲✲✲	✲✲	✲
○ de bâtir et de respecter un calendrier (travail, études, loisirs, bénévolat, etc.)					
○ de tenir compte des imprévus					
► ***De planifier et d'organiser des événements familiaux et sociaux***					
○ de dresser un plan d'action					
○ d'établir la nature de l'événement et ses objectifs					
○ de reconnaître quelles personnes sont impliquées et de répartir les tâches et les responsabilités entre elles					
○ de déterminer le lieu et la date de l'événement					
○ de bâtir et de respecter un calendrier					
○ de bâtir et de respecter un budget (voir la gestion financière)					
○ de réévaluer le plan d'action de temps à autre					
○ d'y apporter des modifications quand c'est nécessaire					
► ***De planifier et d'organiser mon travail, le fonctionnement d'une équipe, d'un secteur, d'une entreprise***					
○ de bâtir un plan de travail ou un plan d'affaires					
○ d'établir la nature de mon travail					
– de reconnaître les personnes impliquées (collègues, patrons, subalternes, clients, fournisseurs, etc.)					

✲✲✲✲✲ = Excellent ✲✲✲✲ = Très bien ✲✲✲ = Bien ✲✲ = Peu ✲ = Pas du tout

	✽✽✽✽✽	✽✽✽✽	✽✽✽	✽✽	✽
– de déterminer les responsabilités de chacune des personnes impliquées					
○ de décider du lieu de travail					
○ de bâtir et de respecter un calendrier					
○ de bâtir et de respecter un budget					
○ de préparer un contrat de travail					
– d'établir et de garantir les horaires, la rémunération, les avantages sociaux, les vacances, les conditions de résiliation de contrat et de cessation d'emploi, etc.					

✽✽✽✽✽ = Excellent ✽✽✽✽ = Très bien ✽✽✽ = Bien ✽✽ = Peu ✽ = Pas du tout

Catégorie 8

La résolution de problèmes

Le conseil d'administration d'une association de bénévoles doit se réunir prochainement. Il s'agit de trouver une solution à un problème dont on ne soupçonne pas encore l'étendue, mais qu'on a décidé d'étudier sans plus tarder, car il mine le fonctionnement du groupe.

Depuis quelque temps, la bonne atmosphère qui caractérisait les activités de l'association s'est un peu assombrie. Personne ne sait trop pourquoi.

Pourtant, le groupe occupe de nouveaux locaux et l'équipement informatique, un peu désuet, permet tout de même d'effectuer le travail sans trop de retard. De nouvelles personnes ont été embauchées; au moment de la sélection, les membres du comité semblaient avoir fait l'unanimité à leur sujet.

Quant aux subventions dont bénéficie cette association à but non lucratif et reconnue pour sa contribution indispensable à la communauté, elles sont renouvelées pour une année, alors qu'on craignait qu'elles ne soient réduites.

Les éléments qui permettent d'assurer les services tout en maintenant un climat de travail agréable semblent tous réunis. Pourtant, un malaise persiste... Est-ce qu'il faudrait redécorer les bureaux, améliorer la climatisation? Certaines personnes seraient-elles proches de l'épuisement? Il y a des clins d'œil furtifs, des chuchotements, des malaises inexplicables... Les gens ne sont pas aussi heureux qu'auparavant et on ne sait pourquoi... Ou bien on n'ose pas le dire?

Quel problème cette association de bénévoles vit-elle et quelle solution faudrait-il trouver?

Définition

La compétence en résolution de problèmes consiste en un ensemble de connaissances, de manières de faire et d'être qui permettent de voir clairement un problème, puis d'y trouver des solutions réalistes et applicables.

▷ *À la découverte de ma compétence en résolution de problèmes*

À QUEL NIVEAU SUIS-JE CAPABLE...
De résoudre un problème d'une manière efficace ?

	*****	****	***	**	*
► ***D'accepter qu'il y ait un problème***					
○ de ne pas prendre panique	___	___	___	___	___
○ de m'accorder du temps pour réfléchir	___	___	___	___	___
○ de me faire confiance et d'adopter une attitude positive					
► ***De penser logiquement***					
○ de faire preuve d'objectivité	___	___	___	___	___
○ de me centrer sur le problème					
► ***De passer à l'action***					
○ de donner libre cours à mon imagination	___	___	___	___	___
○ d'explorer différentes solutions	___	___	___	___	___
○ de choisir la meilleure solution					

À QUEL NIVEAU SUIS-JE CAPABLE...
De résoudre des problèmes de différentes natures ?

	*****	****	***	**	*
► ***D'observer et de décrire la nature d'un problème***					
○ problème manuel ou technique (objet brisé, plomberie défectueuse, etc.)	___	___	___	___	___

***** = Excellent **** = Très bien *** = Bien ** = Peu * = Pas du tout

	❊❊❊❊❊	❊❊❊❊	❊❊❊	❊❊	❊
○ problème financier (budget déséquilibré, demande d'hypothèque refusée, etc.)					
○ problème social ou humain (bris de communication, comportement délinquant, etc.)					
○ problème artistique ou esthétique (vêtements mal agencés, ou décoration sans harmonie, bruits et sons déplaisants, etc.)					
○ problème conceptuel ou intellectuel (manque de planification stratégique, etc.)					
▶ ***D'analyser, de comprendre et d'évaluer un problème***					
○ de penser logiquement					
○ de vérifier mes connaissances					

❊❊❊❊❊ = Excellent ❊❊❊❊ = Très bien ❊❊❊ = Bien ❊❊ = Peu ❊ = Pas du tout

	❊❊❊❊❊	❊❊❊❊	❊❊❊	❊❊	❊
○ de différencier les éléments essentiels et ceux qui sont moins importants					
○ de recourir à ma créativité pour trouver des solutions					
○ d'évaluer et de comparer les avantages et les inconvénients de chaque solution					
► ***De choisir la meilleure solution et de passer à l'action***					
○ d'évaluer et de juger la meilleure solution					
○ de refuser et d'éliminer les autres options					
○ de prendre des risques					
○ d'accepter que la solution déplaise ou plaise selon la situation					
○ de mettre en pratique ce que j'ai imaginé					
► ***D'assurer un suivi et de raffiner ma méthode***					
○ de vérifier l'application de l'approche choisie					
○ de modifier mon plan d'action si nécessaire ou même de revenir en arrière si la solution retenue n'a pas été efficace					
○ de persévérer et de faire preuve de souplesse					

❊❊❊❊❊ = Excellent ❊❊❊❊ = Très bien ❊❊❊ = Bien ❊❊ = Peu ❊ = Pas du tout

Catégorie 9

L'entrepreneurship

L'événement vient de faire la une dans les journaux!

Depuis plusieurs années, une maison abandonnée à la suite du décès de ses propriétaires se trouve dans un état pitoyable. Son aspect peu rassurant fait dire aux enfants qu'il s'agit d'une maison hantée...

L'abandon de la maison serait dû à une querelle entre les héritiers. Le jour où ceux-ci en viennent à s'entendre, ils mettent donc en vente une propriété fortement dévaluée.

Cette situation arrive à point pour cinq personnes sans emploi. Faisant appel à leur imagination, elles se disent qu'avec un petit capital, il serait possible de rénover la maison et d'y démarrer une petite entreprise.

On constate rapidement qu'il y a, réuni chez ces personnes, un ensemble de compétences pouvant être mises à profit. Ainsi, l'une d'elles qui n'a pas peur, mais pas du tout peur des fantômes, propose son expertise en rénovation et devient maître d'œuvre du chantier.

Une autre décrit ses compétences en gestion financière et en vente, qu'elle a développées comme propriétaire d'une boutique de vêtements de prêt-à-porter, qui a été vendue à cause d'une expropriation.

Puis il y a ce couple qui a déjà tenu un café-restaurant; les petits plats qu'on y servait en vitesse n'en étaient pas moins savoureux.

Comme elle doit souvent changer d'emploi, une autre personne, botaniste dans l'âme, aimerait aider ceux et celles qui sont à la recherche d'un travail, et ce tout en faisant pousser des plantes d'intérieur... Sa suggestion fait prendre conscience au groupe de la diversité des talents qu'on y trouve et d'une vocation nouvelle pour la maison, soit un centre multi-services.

Oui, le jour de l'inauguration, quatre mois plus tard, a fait la une! Pour y prendre part, il fallait se présenter avec l'un des quatre articles suivants: une annonce de poste à pourvoir, un plat cuisiné, une plante décorative ou un vêtement propre à donner. De nombreuses personnes étaient au rendez-vous, les fantômes... on n'en a pas vu, et, les héritiers non plus!

Définition

La compétence en « entrepreneurship » consiste en un ensemble de connaissances, de manières de faire et d'être permettant de démarrer parfois à partir de peu de chose, seul ou avec d'autres, une entreprise.

▷ *À la découverte de ma compétence en entrepreneurship*

À QUEL NIVEAU SUIS-JE CAPABLE...
De réunir les conditions d'efficacité nécessaire à la création d'une petite entreprise?

	✲✲✲✲✲	✲✲✲✲	✲✲✲	✲✲	✲
► ***De mettre à profit certaines compétences de base*** *(voir les catégories précédentes)*					
○ de communiquer	___	___	___	___	___
– verbalement et non verbalement	___	___	___	___	___
○ de lire	___	___	___	___	___
○ d'écrire	___	___	___	___	___
○ d'établir des relations interpersonnelles	___	___	___	___	___
○ d'utiliser un ordinateur au travail	___	___	___	___	___
○ de gérer un budget	___	___	___	___	___
○ de planifier et d'organiser	___	___	___	___	___
○ de résoudre des problèmes					
► ***De m'engager à long terme***					
○ de déployer l'énergie qu'il faut	___	___	___	___	___
○ de me faire confiance	___	___	___	___	___
○ de surmonter l'incertitude et le stress	___	___	___	___	___
○ de faire preuve de persévérance					
► ***De prendre des risques calculés***					
○ de ne pas avoir peur des défis	___	___	___	___	___
○ d'accepter et d'évaluer ma capacité de vivre un certain temps sans revenus	___	___	___	___	___

✲✲✲✲✲ = Excellent ✲✲✲✲ = Très bien ✲✲✲ = Bien ✲✲ = Peu ✲ = Pas du tout

	✲✲✲✲✲	✲✲✲✲	✲✲✲	✲✲	✲
○ d'effectuer des emprunts réalistes et de les rembourser					
○ de vérifier ma capacité de travailler par moi-même ou avec des associés et des associées					
○ de comprendre et d'assumer les implications qu'auront mes décisions dans une petite entreprise dans ma vie personnelle et professionnelle					

À QUEL NIVEAU SUIS-JE CAPABLE... De mettre sur pied et d'exploiter une petite entreprise ?

► *D'élaborer un plan d'affaires*	✲✲✲✲✲	✲✲✲✲	✲✲✲	✲✲	✲
○ d'imaginer un projet, un concept (produits et services)					
○ d'aller chercher de l'information (consultations, livres, dépliants, revues spécialisées, cours, ateliers, séminaires, etc.)					
○ de faire une étude de marché (faisabilité du projet, demande pour ce type de produit ou de service)					
○ d'établir le mode de constitution de l'entreprise (enregistrement, incorporation, etc.)					
○ de déterminer quelles ressources humaines embaucher ou avec lesquelles m'associer					

✲✲✲✲✲ = Excellent ✲✲✲✲ = Très bien ✲✲✲ = Bien ✲✲ = Peu ✲ = Pas du tout

	❋❋❋❋❋	❋❋❋❋	❋❋❋	❋❋	❋
○ de déterminer quelles ressources matérielles seront nécessaires (locaux, équipement, mobilier, papeterie, téléphones, télécopieurs, ordinateurs, etc.)					
○ de concevoir un plan de marketing (mise en marché du produit ou du service)					
○ d'établir un calendrier des activités (échéancier)					
► ***De contracter des emprunts***					
○ de faire l'inventaire des établissements de crédit					
○ de soumettre mon plan d'affaires					
○ d'expliquer le bien-fondé de mon entreprise					
○ de fournir des garanties					
○ de constituer légalement mon entreprise					
○ de prendre des engagements et de les respecter					
► ***De constituer un réseau***					
○ de m'intégrer à des associations et à des groupes d'affaires					
○ de m'inscrire à des séminaires, à des ateliers, à des stages de formation					
○ de consulter des personnes compétentes quand c'est nécessaire					

❋❋❋❋❋ = Excellent ❋❋❋❋ = Très bien ❋❋❋ = Bien ❋❋ = Peu ❋ = Pas du tout

Catégorie 10

Les caractéristiques personnelles

Un jour ou l'autre, presque tout le monde se met à la recherche d'une personne compétente.

Mais voilà: la compétence ne suffit pas. Pour expliquer pourquoi, demandons-nous ceci: comment évaluerons-nous une personne, embauchée à cause de sa compétence, qui exigerait deux fois le prix normal pour son travail? Ou encore qui fournirait un service ou un produit de qualité inférieure à ce qu'elle nous avait promis?

Nous associons la compétence à des principes et à ces valeurs qui nous font préférer telle personne plutôt que telle autre, bien que les deux aient développé leurs compétences dans les mêmes domaines, viennent de la même école, etc.

C'est sûr, les valeurs diffèrent selon la culture, les circonstances de la vie, la manière dont on a été élevé. Il n'en demeure pas moins que certaines caractéristiques personnelles sont souvent valorisées lors de l'embauche ou du recrutement.

Pour découvrir quelles principales caractéristiques on attend d'une personne compétente, posons-nous la question suivante: serions-nous satisfaits de quelqu'un qui ne prend pas d'initiatives?

Dans la société d'aujourd'hui, que penser de quelqu'un qui refuse d'apprendre et d'évoluer? D'une personne qui s'accroche à de pseudo-théories qui la sécurisent mais ne valent pas grand-chose? Que penser du meilleur électricien ou de la meilleure électricienne qui s'amènerait chez vous avec son caractère de chien? De la personne aimée qui vous trahirait?

Et si le moment venait de vous présenter devant la justice pour expliquer qu'on vous a volé votre voiture ou vos biens, aimeriez-vous qu'on y manque d'objectivité?

Définition

Les caractéristiques personnelles dont on parle ici consistent en des connaissances, des manières de faire, mais surtout des manières d'être, qui nous distinguent des autres personnes et qui ajoutent à notre compétence.

▷ *À la découverte de mes caractéristiques personnelles*

	❋❋❋❋❋	❋❋❋❋	❋❋❋	❋❋	❋
▶ ***Suis-je efficace, consciencieux ou consciencieuse ? Parce que je suis capable***					
○ d'interpréter les consignes, les directives					
○ de bien travailler dans des délais normaux					
○ d'avoir de l'initiative					
▶ ***Suis-je adaptable ? Parce que je suis capable***					
○ de m'ouvrir au changement quand c'est nécessaire					
○ d'apprendre de jour en jour					
○ d'évoluer quand c'est nécessaire					
▶ ***Suis-je objectif ou objective ? Parce que je suis capable***					
○ de me centrer sur les objectifs et les personnes					
○ de porter des jugements sûrs					
○ de me critiquer moi-même					
▶ ***Suis-je intègre ? Parce que je suis capable***					
○ de discerner le bien du mal					
○ de refuser les influences négatives					
○ d'obéir à l'éthique et à la morale					

❋❋❋❋❋ = Excellent ❋❋❋❋ = Très bien ❋❋❋ = Bien ❋❋ = Peu ❋ = Pas du tout

	✻✻✻✻✻	✻✻✻✻	✻✻✻	✻✻	✻
► ***Suis-je responsable?*** ***Parce que je suis capable***					
○ de prendre et de tenir des engagements					
○ d'effectuer une tâche jusqu'au bout					
○ d'expliquer le pourquoi de mes agissements					
► ***Suis-je loyal ou loyale?*** ***Parce que je suis capable***					
○ d'être fidèle à des personnes					
○ d'être fidèle à des engagements					
○ d'être fidèle à des principes					
► ***Suis-je courageux ou courageuse?*** ***Parce que je suis capable***					
○ de prendre des risques					
○ de défendre des idées, des opinions, des droits					
○ de travailler pour une cause que je crois juste					
► ***Suis-je cultivé ou cultivée?*** ***Parce que je suis capable***					
○ de parler de plusieurs sujets dans différents domaines en m'appuyant sur des connaissances réelles					
○ de commenter certains faits en me référant à des données concrètes					
○ de commenter et de critiquer objectivement des sujets de différents domaines					

✻✻✻✻✻ = Excellent ✻✻✻✻ = Très bien ✻✻✻ = Bien ✻✻ = Peu ✻ = Pas du tout

✲✲✲✲✲	✲✲✲✲	✲✲✲	✲✲	✲

▶ ***Suis-je intuitif ou intuitive?***
Parce que je suis capable

- ○ de deviner, de pressentir des besoins, des événements, des choses
- ○ d'anticiper les actions à prendre
- ○ de pressentir les courants de pensée

▶ ***Suis-je stable?***
Parce que je suis capable

- ○ de contrôler mes émotions
- ○ de réfléchir avant de prendre des décisions
- ○ de m'accorder des moments de détente

▶ ***Suis-je conscientisé ou conscientisée?***
Parce que je suis capable

- ○ de me sensibiliser aux questions sociales et environnementales actuelles
- ○ d'expliquer la nature de ces questions
- ○ de prendre position par rapport à ces questions

▶ ***Suis-je humain ou humaine?***
Parce que je suis capable

- ○ d'aimer
- ○ d'être agréable
- ○ d'écouter les autres

✲✲✲✲✲ = Excellent ✲✲✲✲ = Très bien ✲✲✲ = Bien ✲✲ = Peu ✲ = Pas du tout

Résumé

Comme nous le mentionnions au début du livre, l'objectif principal de ce document est de vous permettre de **nommer** *vos compétences transférables ainsi que vos caractéristiques personnelles et de les* **classifier** *en catégories.*

Si vous avez terminé la première étape, vous avez déjà mis à jour les nombreuses compétences que vous avez développées au cours de votre vie. Nous vous suggérons maintenant de regarder l'ensemble de vos compétences et sous-compétences, de même que vos caractéristiques personnelles. Le résumé vous y aidera.

Reportez dans les grilles ci-dessous la tendance générale de votre évaluation. Par exemple, si dans une sous-catégorie vous aviez généralement tendance à noter «Bien», cochez également «Bien» ici, et ainsi de suite.

Catégorie 1 – La communication verbale et non verbale, la lecture et l'écriture

► ***À la découverte de ma compétence en communication verbale et non verbale, en lecture et en écriture*** ***À quel niveau suis-je capable...***	✲✲✲✲✲	✲✲✲✲	✲✲✲	✲✲	✲
○ De communiquer efficacement ?					
○ De communiquer en public ?					
○ De lire efficacement ?					
○ De lire différentes formes d'écrits et sur différents sujets ?					
○ D'écrire efficacement ?					
○ D'écrire dans différents styles ?					

Catégorie 2 – Les relations interpersonnelles

► ***À la découverte de ma compétence en relations interpersonnelles*** ***À quel niveau suis-je capable...***	✲✲✲✲✲	✲✲✲✲	✲✲✲	✲✲	✲
○ De développer et de maintenir des relations interpersonnelles valables et efficaces ?					
○ De développer et de maintenir des relations interpersonnelles au travail, dans des activités sociales et communautaires ?					
○ De développer et de maintenir des relations interpersonnelles où j'exerce mon leadership ?					

✲✲✲✲✲ = Excellent ✲✲✲✲ = Très bien ✲✲✲ = Bien ✲✲ = Peu ✲ = Pas du tout

Catégorie 3 – L'informatique

► *À la découverte de ma compétence en informatique*
À quel niveau suis-je capable...

- ○ D'utiliser efficacement la technologie de l'informatique dans mon travail ?
- ○ De maîtriser différentes applications de cette technologie ?

❊❊❊❊❊	❊❊❊❊	❊❊❊	❊❊	❊

Catégorie 4 – Les activités d'ordre physique et technique

► *À la découverte de ma compétence d'ordre physique et technique*
À quel niveau suis-je capable...

- ○ D'effectuer des mouvements et des gestes de manière efficace ?
- ○ D'effectuer des mouvements et des gestes dans différentes activités ?
- ○ De démontrer efficacement mes habiletés manuelles ?
- ○ De démontrer mes habiletés manuelles dans le cadre de différentes activités ?

❊❊❊❊❊	❊❊❊❊	❊❊❊	❊❊	❊

❊❊❊❊❊ = Excellent ❊❊❊❊ = Très bien ❊❊❊ = Bien ❊❊ = Peu ❊ = Pas du tout

Catégorie 5 – L'expression artistique

▶ ***À la découverte de ma compétence d'ordre artistique***
À quel niveau suis-je capable...

- ○ D'utiliser mes talents artistiques avec efficacité ?
- ○ D'utiliser mes talents artistiques dans différentes activités ?

✲✲✲✲✲	✲✲✲✲	✲✲✲	✲✲	✲

Catégorie 6 – La gestion financière

▶ ***À la découverte de ma compétence en gestion financière***
À quel niveau suis-je capable...

- ○ De gérer de l'argent efficacement ?
- ○ De gérer des revenus et des dépenses et d'effectuer une planification financière ?

✲✲✲✲✲	✲✲✲✲	✲✲✲	✲✲	✲

Catégorie 7 – La planification et l'organisation

▶ ***À la découverte de ma compétence en planification et en organisation***
À quel niveau suis-je capable...

- ○ De planifier et d'organiser d'une manière efficace ?
- ○ De planifier et d'organiser différentes activités ?

✲✲✲✲✲	✲✲✲✲	✲✲✲	✲✲	✲

✲✲✲✲✲ = Excellent ✲✲✲✲ = Très bien ✲✲✲ = Bien ✲✲ = Peu ✲ = Pas du tout

Catégorie 8 – La résolution de problèmes

► ***À la découverte de ma compétence en résolution de problèmes***
À quel niveau suis-je capable...

- De résoudre un problème d'une manière efficace ?
- De résoudre des problèmes de différentes natures ?

✲✲✲✲✲	✲✲✲✲	✲✲✲	✲✲	✲

Catégorie 9 – L'entrepreneurship

► ***À la découverte de ma compétence en entrepreneurship***
À quel niveau suis-je capable...

- De réunir les conditions d'efficacité nécessaires à la création d'une petite entreprise ?
- De mettre sur pied et d'exploiter une petite entreprise ?

✲✲✲✲✲	✲✲✲✲	✲✲✲	✲✲	✲

Catégorie 10 *Plus* – Les caractéristiques personnelles

► ***À la découverte de mes caractéristiques personnelles***
Suis-je...

- Efficace, consciencieux ou consciencieuse ?

✲✲✲✲✲	✲✲✲✲	✲✲✲	✲✲	✲

✲✲✲✲✲ = Excellent ✲✲✲✲ = Très bien ✲✲✲ = Bien ✲✲ = Peu ✲ = Pas du tout

	✽✽✽✽✽	✽✽✽✽	✽✽✽	✽✽	✽
○ Adaptable?					
○ Objectif ou objective?					
○ Intègre?					
○ Responsable?					
○ Loyal ou loyale?					
○ Courageux ou courageuse?					
○ Cultivé ou cultivée?					
○ Intuitif ou intuitive?					
○ Stable?					
○ Conscientisé ou conscientisée?					
○ Humain ou humaine?					

✽✽✽✽✽ = Excellent ✽✽✽✽ = Très bien ✽✽✽ = Bien ✽✽ = Peu ✽ = Pas du tout

Bravo!

Votre résumé est complété et le moment est venu de faire part de tout ce potentiel à des employeurs. Par exemple, dans une lettre de demande d'emploi, vous pourriez nommer par ordre d'importance les principales catégories où vous situez votre compétence: la communication verbale et non verbale, la lecture et l'écriture; les relations interpersonnelles; l'informatique, les habiletés d'ordre physique et technique; l'expression artistique; la gestion financière; la planification et l'organisation; la résolution de problèmes, l'entrepreneurship et les caractéristiques personnelles.

Quand vous rédigerez votre curriculum vitæ, mentionnez vos principales compétences et vos caractéristiques personnelles à la suite de vos études et de vos emplois.

Dans les formulaires de demande d'emploi, il y a souvent un endroit destiné à vos commentaires. Vous pourriez y inscrire la liste de vos principales compétences.

Et si vous élaborez votre portfolio dans le cadre d'une demande de reconnaissance d'acquis scolaires ou d'emploi, vous pourriez décrire vos compétences ainsi que vos caractéristiques personnelles dans le résumé autobiographique, les objectifs de formation et aussi dans l'identification de ce que vous avez appris (cours formels; cours non formels; travail rémunéré; travail non rémunéré (le travail au foyer, par exemple); loisirs, voyages et sports; événements marquants, etc.).

Il est fort possible que vous ayez bientôt à vous présenter à une entrevue de sélection; le simple fait d'avoir complété les grilles devrait stimuler votre mémoire et vous aider à mieux répondre à certaines questions.

Quelle que soit la manière dont vous ferez usage des instruments proposés dans ce document, faites-vous toujours confiance!

Et bon succès!

Bibliographie

Association canadienne pour la gestion de la production et des stocks/Montréal et École des Hautes Études commerciales. *Dictionnaire de la gestion et de la production des stocks*, Montréal, Éditions Québec/Amérique/Presses HEC, 1994.

Banque Royale du Canada. « Comme au théâtre. » *Bulletin de la Banque Royale*, vol. 76, n° 2, mars/avril 1995.

Banque Royale du Canada. « Leadership at Work. » *Bulletin de la Banque Royale*, vol. 61, n° 7, September/October 1980.

Banque Royale du Canada. « Le Point sur la courtoisie. » *Bulletin de la Banque Royale*, vol. 62, n° 2, mars/avril 1981.

Banque Royale du Canada. « Un devoir civil. » *Bulletin de la Banque Royale*, vol. 76, n° 3, mai/juin 1995.

BLOOM et al. *Taxonomie des objectifs pédagogiques, tome I, domaine cognitif.* Traduit par M. Lavallée. Québec, Les Presses de l'Université du Québec, 1980.

BOLLES, Richard N. *Instrument d'identification de vos habiletés fonctionnelles/transférables.* Traduit et adapté par Suzanne Bussières, Service d'orientation et de counseling : vie étudiante, Université Laval.

BOLLES, Richard N. *What Colour Is Your Parachute? A Practical Manual for Job-Hunters & Career Changers.* Berkeley, Ten Speed Press, 1984.

BREEN, P., WHITAKER, U. *Bridging the Gap, A Learner's Guide to Transferable Skills.* San Francisco, The Learning Centre, 1983.

CANTIN, Gabrielle. *Méthode 1 d'intégration des apprentissages.* La librairie de l'Université de Montréal, Montréal, 1978-1979.

Commission canadienne de mise en valeur de la main-d'œuvre. *Assembler les pièces du casse-tête : Pour un système cohérent de transition vers l'emploi au Canada.* Ottawa, CCMMO, avril 1994.

Commission canadienne de mise en valeur de la main-d'œuvre. *Rapport annuel 1993-1994.* Ottawa, novembre 1994.

Conference Board of Canada. *Profil des compétences relatives à l'employabilité.* Ottawa, Centre national sur les affaires et l'enseignement, mars 1993.

Conference Board of Canada. *La Voie du succès : la synergie des affaires et de l'enseignement.* 1993. Partenariats entreprise-enseignement gagnants, Ottawa, printemps 1993.

Conseil économique du Canada. *L'emploi au futur : tertiarisation et polarisation.* Ottawa, Conseil économique du Canada, 1990.

COURVILLE, Léon. *Piloter dans la tempête*. Coll. «Presses HEC», Montréal, Québec/Amérique, 1994.

DESCHÊNES, Lucie. *Vers une société de l'information*. Laval, Centre canadien de recherche sur l'informatisation du travail, 1992.

Dictionary of Banking and Finance. Middlesex, Peter Collin Publishing, 1993.

Dictionnaire français-anglais, anglais-français. New York, Oxford University Press, 1994; Paris, Hachette Livre, 1994.

Direction générale de la condition féminine de l'Ontario. *Faire face aux changements: Manuel de planification de carrière pour les femmes*. Un projet «agent de changement», Toronto, janvier 1994.

EKSTROM, R.B., *Project Homemaking and Volunteer Experience Skills: A Program to Help Women Find Jobs Using Homemaking and Volunteer Experience Skills*. Princeton, Women's Workbook/ETS, 1981.

Emploi et Immigration Canada. *Forum 1991: Partenariat du secteur privé et stratégie de la mise en valeur de la main-d'œuvre*. Ottawa, 1991.

ETCHEGOYEN, Alain. *Les entreprises ont-elles une âme?* Paris, Éditions François Bourin, 1990.

ETCHEGOYEN, Alain. *La Valse des éthiques*. Paris, Éditions François Bourin, 1991.

FOUCHER. *Lexique de la comptabilité et de la gestion: français-anglais anglais-français*. Coll. «Les bilingues pratiques», Paris, Impact books et Éditions Foucher, 1993.

GALAMBAUD, Bernard. *Planification stratégique des ressources humaines* (préface), par Wils, Thierry; Le Louarn, Jean-Yves; Guérin, Gilles. Montréal, Les Presses de l'Université de Montréal.

GRAY, Douglas A., *Start and Run a Profitable Consulting Business*, 4th edition. North Vancouver, Self-Counsel Press, March 1995.

Groupe Communication Canada Édition. *Classification nationale des professions 1994*. Ottawa, Groupe Communication Canada Édition, 1993.

GUYOMARC'H, Pol. *Dictionnaire de l'entreprise*. Paris, Hatier, 1993.

HARROW, A. *Taxonomie des objectifs pédagogiques: Tome 3, Domaine psychomoteur*. Traduit par M. Lavallée. Québec, Les Presses de l'Université du Québec, 1980.

HOLLAND, John L. *L'Orientation scolaire et professionnelle* (édition canadienne). Toronto, Guidance Centre, Faculty of Education, University of Toronto, 1980.

KRATHWHOL et al. *Taxonomie des objectifs pédagogiques: Tome 2, Domaine affectif*. Traduit par M. Lavallée. Québec, Les Presses de l'Université du Québec, 1980.

Le Robert & Collins du management. Paris, Dictionnaires Robert, 1992.

MÉNARD, J., PARENT, A. *America Works*. «À tout prix», magazine économique. Montréal, Radio-Canada, 18 octobre 1994.

MORISSET, Luc E. *Le Guide pratique de l'inventeur*. Montréal, Centre Canadien d'innovation industrielle/Éditeurs CMP, Montréal, 1994.

NOLLER, Ruth B. *Scratching the Surface of Creative Problem-Solving. A Bird's Eye-view of C.P.S.* Buffalo, D.O.K. Publishers Inc., 1977.

NOLLER, Ruth B. *Times Change: A Career Planning Workbook for Women*. Toronto, Ontario Women's Directorate, janvier 1994.

Office de la langue française du Québec. Ministère de l'Éducation du Québec. *Pour un genre à part entière*. Guide pour la rédaction de textes non sexistes. Québec, Les Publications du Québec, 1988.

PETER, L.J., HULL, R. *Le Principe de Peter*. Coll. «Livre de Poche». Paris, Stock, 1970.

SANSREGRET, Marthe. *La Reconnaissance des acquis des femmes aux États-Unis*. Montréal, Hurtubise HMH, 1983; The Recognition of Women's Experiential Learning in the United States; ERIC Clearinghouse on Adult, Career and Vocational Education, Columbus, Ohio, 1988.

SANSREGRET, Marthe. *A Rationale for Assessing Adults' Prior Learning*. The First International Conference on Experiential Learning. Regent's College, Regent's Park. London, 1987; ERIC Clearinghouse on Adult, Career and Vocational Education. Columbus, Ohio, 1988.

SANSREGRET, Marthe. *La Reconnaissance des acquis: Principes*. Montréal, Hurtubise HMH, 1988.

SANSREGRET, Marthe. *La Reconnaissance des acquis: Portfolio*. Montréal, Hurtubise HMH, 1988, 1994 (deuxième édition révisée, avec disquette pour IBM ou MAC).

SANSREGRET, Marthe. *La Reconnaissance des acquis: Fonctions et tâches des administrateurs, conseillers et évaluateurs*. Montréal, Hurtubise HMH, 1988.

SHECKLEY, B.G., LAMDIN, L., KEETON, M. T. *Employability in a High Performance Economy*. Chicago, The Council for Adult and Experiential Learning, 1993.

UNESCO. *Quatrième Conférence internationale sur l'éducation des adultes*. Paris, 19-29 mars 1985.

WHERTHER, W.B., Jr., DAVIS, K., LEE-GOSSELIN, H. *La Gestion des ressources humaines*. Montréal, McGraw-Hill Éditeur, 1985, 1990.

WILS, T., LELOUARN, J.Y., GUÉRIN, G. *Planification stratégique des ressources humaines*. Montréal, Les Presses de l'Université de Montréal, 1991.

Dans la même collection,
« La Reconnaissance des acquis »,
de Marthe Sansregret :

Principes

Fonctions et tâches des administrateurs, conseillers et évaluateurs

Cours sur l'élaboration d'un portfolio

Le Portfolio (avec disquette)

Principles

The Portfolio (with diskette)